Christine Nöstlinger · Die feuerrote Friederike

Christine Nöstlinger, 1936 geboren, lebt mit ihrem Mann und zwei Töchtern in Wien. Nach dem Abitur studierte sie zunächst an der Kunstakademie und arbeitete anschließend bei einer Zeitung. Heute ist sie Rundfunk- und Pressemitarbeiterin. Erst vor wenigen Jahren begann sie Kinderbücher zu schreiben, mit denen sie einen außergewöhnlichen Erfolg errang. Für ›Wir pfeifen auf den Gurkenkönig‹ erhielt sie 1973 den Deutschen Jugendbuchpreis, das Buch ›Maikäfer flieg‹, dtv pocket 7804, stand 1974 und ›Die drei Posträuber‹ 1972 in der Auswahlliste zum Deutschen Jugendbuchpreis. 1972 wurde Christine Nöstlinger mit dem Friedrich-Boedecker-Preis ausgezeichnet, und 1984 erhielt sie die Hans-Christian-Andersen-Medaille, die bedeutendste internationale Auszeichnung für einen Kinder- und Jugendbuchautor.
Weitere Kinder- und Jugendbücher der Autorin: ›Die Geschichten von der Geschichte vom Pinguin‹, ›Luki-live‹, ›Stundenplan‹, ›Der Kleine Herr greift ein‹, ›Sim Sala Bim‹, ›Ilse Janda, 14‹, ›Konrad oder Das Kind aus der Konservenbüchse‹, ›Pfui Spinne‹, ›Olfi Obermeier und der Ödipus‹, ›Liebe Susi, lieber Paul!‹, dtv junior 7577, ›Der Hund kommt‹ u. a.
Titel der Autorin bei dtv junior: siehe Seite 4

Christine Nöstlinger

Die feuerrote Friederike

Deutscher
Taschenbuch
Verlag

Von Christine Nöstlinger
sind außerdem bei dtv junior lieferbar:
Mr. Bats Meisterstück, Band 7241
Ein Mann für Mama, Band 7307
Maikäfer flieg!, dtv pocket 7804

Ungekürzte Ausgabe
1. Auflage Juni 1974
13. Auflage Mai 1987: 126. bis 135. Tausend
Deutscher Taschenbuch Verlag GmbH & Co. KG, München

Umschlaggestaltung: Celestino Piatti
Umschlagbild: Christine Nöstlinger
Schrift: Aldus 10/12
Gesamtherstellung: Kösel, Kempten
Printed in Germany · ISBN 3-423-07133-8

Es war einmal ein kleines Mädchen. Es hieß Friederike. Es hatte sonderbare Haare. Ein paar Strähnen waren so rot wie Paradeiser. Die Stirnfransen hatten die Farbe von Karotten. Die meisten Haare aber waren so rot wie dunkelroter Wein. Außerdem hatte es Sommersprossen und war ziemlich dick.

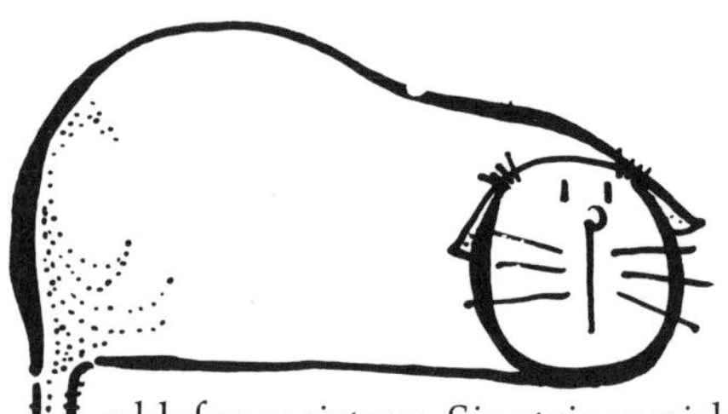

Friederike hatte eine dicke, rote, sehr große Katze. Die Katze hieß Kater und lag den ganzen Tag auf einem Sessel und schlief. Die Katze war sehr alt. Alte Katzen schlafen meistens. Sie steigen nicht auf das Dach, klettern nicht auf Bäume, fangen keine Mäuse und spielen nicht mit kleinen Mädchen. Sie schnurren auch nur sehr selten. Manchmal niesen sie. Die Katze gehörte eigentlich der Tante, bei der Friederike wohnte.

Die Tante war noch älter als die Katze und hieß Annatante. Als die Annatante noch jung gewesen war, hatte sie auch rote Haare wie Friederike gehabt. Und Sommersprossen. Jetzt waren die Haare weiß. Sogar die Sommersprossen waren mit der Zeit blaß geworden. Man konnte sie kaum mehr sehen.

Dick war sie aber noch. Sehr dick sogar. Die Annatante ging nie auf die Straße. Sie saß meistens auf einem Sessel neben dem Katzensessel.
Sie strickte
oder las
oder schlief
oder sie dachte nach.

Die Strickerei behielt sie auch in den Händen, wenn sie las, nachdachte oder schlief, und das Buch lag immer aufgeschlagen vor ihr auf dem Tisch.

Friederike ging jeden Tag einkaufen. Die Tante kochte jeden Tag das Essen.
Die Wohnung putzten sie gemeinsam.
Das Mädchen Friederike, die Tante Annatante und die Katze Kater wohnten in einem sehr hohen Haus.
Ganz oben unter dem Dach.
Das Haus hatte keinen Aufzug. Ehe man zur Wohnungstür kam, mußte man über hundert Stufen hinaufsteigen.

Man wußte nie genau, ob sie gerade strickte,
schlief,
las oder
nachdachte.
Sie las seit über einem Jahr in dem Buch.
Trotzdem war sie erst bei der siebenten Seite.
Manchmal glaubte Friederike, die Annatante könne gar nicht lesen.

Der Annatante und der Katze kam Friederike wie ein ganz normales Kind vor. Alle anderen Leute aber lachten, wenn sie Friederike sahen. Besonders die Kinder.

Die riefen: »Da kommt die feuerrote Friederike!
Feuer, Feuer! Auf der ihrem Kopf brennt's!
Achtung, die Rote kommt!«

Wenn Friederike ihre Haare unter einem Hut versteckte, nützte das auch nichts. Sie hatte es schon ausprobiert. Ein paar Augenblicke waren die Kinder still, aber dann lief ihr der kleine Wilhelm nach und schrie:
»Das gilt nicht! Das gilt nicht!«
Dann riß er ihr den Hut vom Kopf. Da lachten die anderen Kinder, und alle schrien: »Das gilt nicht! Das gilt nicht! Bäähhh! Bääääääääääää ääääääääääääää hhhhhhhhhhh hhhhhhhhhh!«

Manche Kinder stellten sich sogar vor Friederikes Haus auf und warteten, bis sie einkaufen ging. Dann liefen sie hinter ihr her und zupften sie an den Haaren. Manche Kinder rissen sie ganz fest. Das fanden die Kinder ungeheuer lustig.
Friederike hatte schon oft versucht, ihre roten Haare loszuwerden.

Nur der Briefträger lachte nicht über Friederike. Er kam einmal im Monat und brachte der Annatante die Pension. Das war das Geld, von dem sie lebten. Der Briefträger bemerkte nicht einmal, daß Friederike rote Haare hatte, denn er war farbenblind. Das wußte Friederike aber nicht. Er sagte das keinem Menschen. Nicht einmal seiner eigenen Frau.

Manchmal, wenn er mit seiner Frau spazieren ging und er trug ein gelbes Hemd und eine rosa Krawatte und eine grüne Hose und blaue Schuhe und eine orangefarbige Jacke, dann dachte seine Frau so bei sich:
Er ist ein guter Mann, aber er hat einen sehr schlechten Geschmack!
Sie sagte aber nichts. Sie wollte ihn nicht kränken, denn sie war eine gute Frau.

Der Briefträger war Friederikes Freund. Wenn er die vielen Stu-

DAS IST DER
BRIEFTRÄGER

fen zu der Annatante hinaufgestiegen war, war er sehr müde. Er setzte sich dann zu Friederike in die Küche und trank Kaffee mit ihr. Er erzählte ihr vom Briefeaustragen,

von seiner Frau,
vom Postdirektor und
von den Kindern.

Er erzählte ihr, was die Kinder spielten. Vom Briefträger wußte Friederike, wie man tempelhüpft. Er hatte ihr Fritzstehauf erklärt und Vatavataleihmirdscher und Wassamannmitwelcherfarbedarfichrüber.
Weil alle Leute über Friederike lachten, ging sie nur ganz selten auf die Straße. Fast nur dann, wenn sie einkaufen ging.
Der Briefträger konnte nicht verstehen, daß alle Leute über Friederikes Haare lachten.
»Ich weiß nicht, ich weiß nicht«, sagte er, »ich höre immer, daß die Kinder
nur rote Kleider wollen und
nur rote Hüte und
nur rote Zuckerl und
nur rote Luftballons und
nur rote Schuhe.

Warum, warum um alles in der Welt, wollen sie dann keine roten Haare, wenn sie sonst alles rot haben wollen?«
»Das ist etwas anderes«, sagte Friederike.
»Wieso?« fragte der Briefträger.
»Ich bin noch nicht dahintergekommen«, sagte Friederike, »aber da muß ein Unterschied sein.«
»Vielleicht mögen sie dich aus einem anderen Grund nicht?«

»Nein, nein«, antwortete Friederike. »Sie kennen mich doch gar nicht. Sie haben mich von allem Anfang an ausgelacht. Ich habe schon bei meiner Geburt lange rote Haare gehabt. Alle Ärzte im Spital und alle Krankenschwestern haben gelacht. So lustig wie damals sind sie schon seit hundert Jahren nicht mehr gewesen. Die Tante Annatante hat mir das erzählt.«
»Aber«, sagte der Briefträger, »aber ich habe in der Zeitung ein Foto von einer berühmten Schauspielerin gesehen. Die ist gerade so berühmt, weil sie rote Haare hat.«
»Die hat andere Haare«, erklärte Friederike, »ein anderes Rot!«

Da war der Briefträger still. Denn von Farben verstand er ja nichts. Sie waren beide traurig. Der Briefträger murmelte: »Es ist ein Jammer.«
Dann mußte er wieder fortgehen, denn er hatte noch viel Geld zu den Leuten zu tragen, und er murmelte den ganzen Tag über: »Es ist ein Jammer. Es ist ein Jammer. Ein Jammer ist das!«

Als er am Abend nach Hause kam, fragte seine Frau: »Was ist ein Jammer?«
Da erzählte er ihr alles, und sie wußte auch keinen Rat und wurde auch ganz traurig und murmelte auch: »Es ist ein Jammer! Es ist ein Jammer!«

Die Annatante sagte oft: »Friederike, so geht das nicht. Wehr dich! Wenn sie dich ausspotten, dann spotte zurück! Nein, das ist kein guter Rat. Sie sind zu viele. Es würde nichts nützen. Mach es so: Geh zu ihnen hin und sag ihnen, daß du nichts für deine roten Haare kannst und daß du mitspielen willst. Dann spiel einfach mit, und wenn du sehr gut mitspielst, wird ihnen das gefallen, und sie werden nicht mehr spotten, und du wirst ihre Freundin sein! So einfach ist das!«

Friederike antwortete: »Ich kann nicht sehr gut spielen, und wenn sie mich so anschauen, kann ich nicht einmal ein Wort reden. Die werden nie meine Freunde sein, und das ist überhaupt nicht einfach!«

»Ich weiß, ich weiß«, seufzte die Tante Annatante und strickte zwei Maschen rechts und zwei Maschen links und dachte nach.

»In drei Wochen«, sagte sie dann, »mußt du in die Schule gehen. Weißt du das?«
»Ja, Tante, ich weiß es. Aber ich fürchte mich vor den Kindern. Kann ich nicht lieber dumm bleiben?«
»Nein, das wird nicht erlaubt. Sie kommen und holen dich. Man kann sich einen Lehrer ins Haus bestellen, aber dazu haben wir nicht genug Geld.
Außerdem würde kein vernünftiger Lehrer über mehr als hundert Stufen zu dir steigen.«

Am ersten Montag im September ging Friederike zum erstenmal in die Schule. Die Frau Lehrerin lachte nicht, als sie Friederike sah. Sie wurde etwas blaß im Gesicht. Zum Herrn Direktor sagte sie nachher: »Diese Friederike ist ein armes Kind. Wir werden unseren Kummer mit ihr haben!«
Am zweiten Schultag rief ein Kind, als Friederike in die Klasse kam: »Achtung! Es brennt!«
Die Frau Lehrerin wurde böse. Das Kind mußte als Strafe zwei Zeilen Kugeln malen. Immer eine große und eine kleine Kugel abwechselnd. Nach einem Monat hatte schon fast jedes Kind wegen Friederike eine Strafarbeit geschrieben.

So sahen die Strafarbeiten aus: →

Es war ja erst ein Monat Schule. Die Kinder konnten noch keine Sätze schreiben. Die Kinder ärgerten sich sehr über die Strafarbeiten.
Aber die Mütter sagten:
»Na, da bekommen sie wenigstens eine schöne Handschrift!«

Da ging die Frau Lehrerin zum Herrn Direktor und fragte ihn um Rat. Der Herr Direktor wußte auch keinen Rat, und so sagte er: »Das beste wird sein, Sie tun so, als sähen und hörten Sie nichts davon. Dann wird es den Kindern langweilig werden, und sie werden aufhören zu spotten.«
Die Frau Lehrerin befolgte den guten Rat, der keiner war, und tat, als sähe und hörte sie nichts davon.
Den Kindern war das nur recht. Sie spotteten und zupften und stießen und lachten wie nie zuvor.

Friederike bekam lauter Einser. Sie war brav und fleißig. Die Frau Lehrerin sagte das oft. Die Kinder mochten sie deswegen kein bißchen besser leiden.

Eines Nachmittags saßen Friederike und die Tante Annatante und die Katze Kater beim großen Tisch und tranken Schokoladenkakao. Plötzlich fragte Friederike so laut, daß die beiden anderen vor Schreck zusammenzuckten: »Du, Tanta Annatante?« »Was ist?« »Ich möchte wissen, wie das bei dir war! Du hast doch auch so rote Haare wie ich gehabt. Haben dich die Kinder auch verspottet?«
»Ich weiß nicht mehr, ich weiß wirklich nicht mehr«, murmelte die Annatante. Da setzte sich die Katerkatze auf und sagte: »Lüg nicht so!«

Die Katze sprach nur sehr selten. Nur wenn es wirklich notwendig war. »Ich lüge nicht«, behauptete die Tante. »Doch, du lügst!« schimpfte die Katze, »so etwas vergißt man nicht.« Da wurde die Annatante böse: »Nein, nein! Ich erzähle gar nichts. Es würde Friederike nichts nützen, das weiß ich. Außerdem bin ich alt! Ich will in Ruhe leben!«

Dann machte sie den Mund zu und sagte nichts mehr. Es wurde still im Zimmer. Der Katzenkater stellte die Vorderpfoten auf den Tisch. Sein Fell wurde dick und leuchtend rot. Seine Augen funkelten wie Rubine, das sind herrliche Edelsteine, und er fauchte die Tante Annatante an:

»So, so, werte Frau Annatante!
Du willst in Ruhe leben! Du bist alt! Du hast weiße Haare!
Du hast deine Ruhe!
Gehst du mit Friederike auf die Straße?
Sagst du den Kindern, daß sie mit ihr spielen sollen?
Sagst du den Großen, daß sie nicht lachen sollen?
Hilfst du ihr irgendwie ???? Nein!!!!!!!!
Meine Liebe, du bist eine selbstsüchtige, alte Person geworden!!!
Sag ihr doch wenigstens, wie sie sich wehren kann!!!«

Als er das gefaucht hatte, fiel er erschöpft in seinen Sessel zurück und nieste ganz fürchterlich.

»Gut, gut, Katze Kater«, seufzte die Annatante, »beruhige dich, ich erzähle es ja schon. Also, die Kinder haben mich nicht verspottet. Sie haben es nicht gewagt. Sie hatten Angst. Unsere roten Haare sind nämlich ganz besondere Haare. Wenn wir murmeln: ›rotarotaginginging feiabrenntinottakring‹, dann fangen unsere Haare zu glühen an. Murmeln wir: ›feiabrenntinwahring, bistagselchtaharing‹, hören sie wieder zu glühen auf. Wenn mich die Kinder verspottet haben, habe ich sie dafür ein klein wenig verbrannt. Die Kinder sind sehr wehleidig. Sie hatten bald keine Lust mehr zu spotten.«

Friederike konnte es kaum glauben. »Probier es aus«, sagte der Kater, »du kannst es glauben, ich war damals schon auf der Welt. Ich habe es oft genug gesehen.«

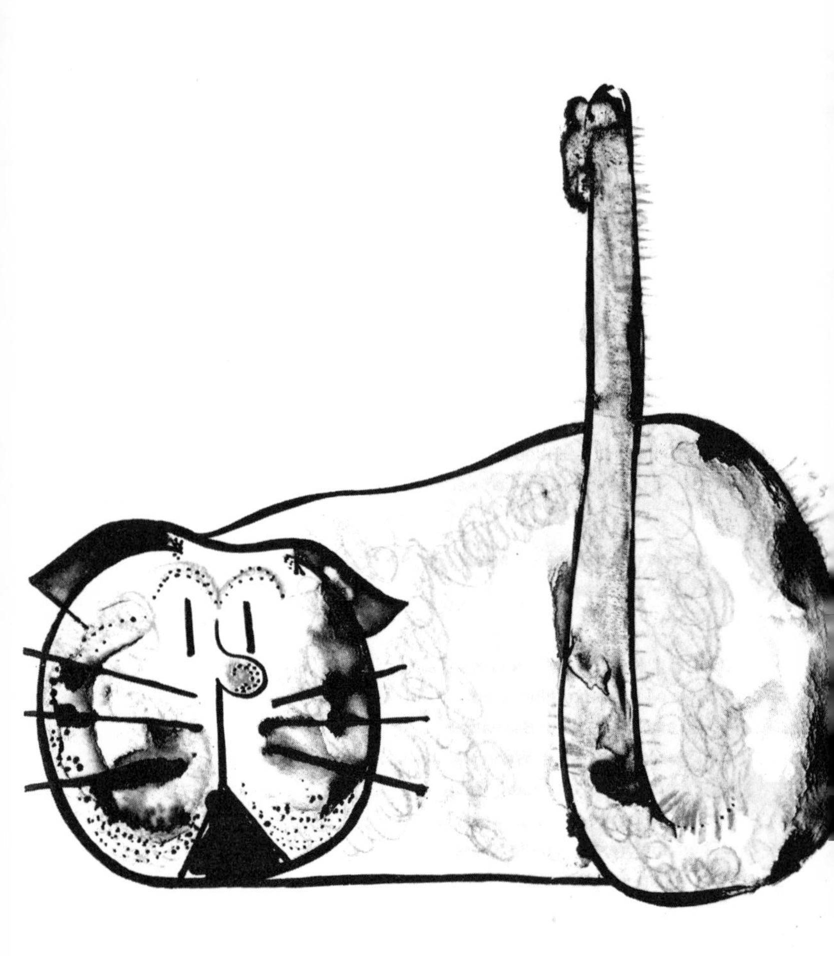

OBIERE
AUS !
ICH GLAUBE ES NICHT

ABER NICHT IN DER WOHNUNG!

HIER GEHT ES!!!

ES GEHT!!!!
ROTA ROTA GING .....

BIST A GSELCHTA HARING !!!!!!!!!

ICH WEISZ NICHT, OB ICH MICH FREUEN SOLL

Jeden Tag, wenn Friederike von der Schule nach Hause kam, erkundigte sich der Kater, ob sie sich schon gewehrt habe. Sie hatte sich nicht gewehrt. Sie konnte es selber nicht verstehen, aber sie wollte nicht glühen.

Da war der Katzenkater sehr unzufrieden.

Die Annatante aber sagte: »Siehst du, siehst du, Katze Kater, ich habe recht behalten! Es nützt ihr nichts! Es nützt ihr nichts!«

Eines Tages hatten sich die Kinder einen neuen Spaß ausgedacht. Als Friederike mit der großen Einkaufstasche zum Gemüsehändler ging, kamen mindestens zehn Kinder aus dem Nachbarhaus gelaufen.

Sie hatten dort auf Friederike gewartet.

Die Kinder stürzten sich auf Friederike.

Drei Kinder rissen Friederike die Tasche aus der Hand.

Drei andere Kinder packten Friederike und stopften sie in die Tasche.

Drei Kinder hielten einen Taschenhenkel. Drei Kinder hielten den anderen Taschenhenkel. So schleppten sie Friederike durch die Stadt. Die Kinder, die nichts zu tragen hatten, liefen hinterher.

Die Kinder lachten und sangen:

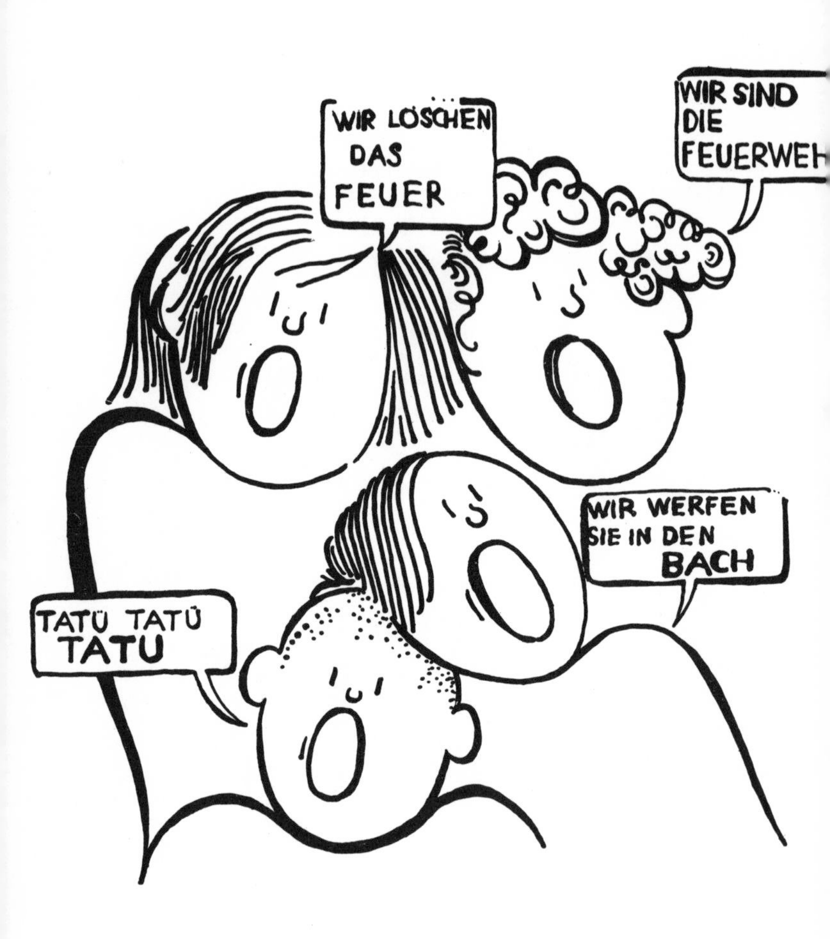

Die Leute, die vorübergingen, hielten das für ein schönes Spiel. Sie lachten. Eine Frau sagte: »Das sind liebe Kinder!« Ein Mann sagte: »Welch schöne Perücke das eine Kind auf dem Kopf hat. Eine sehr schöne rote Perücke!«

Ob die Kinder Friederike wirklich ins Wasser geworfen hätten, ist nicht sicher. Friederike jedenfalls glaubte es und bekam große Angst. Das Wasser war tief, und sie konnte nicht schwimmen. Die Tasche schaukelte hin und her. Sooft Friederike versuchte, aus der Tasche herauszugelangen, drückten die Kinder sie wieder hinein.

Da murmelte sie den Zauberspruch: »Rotarotagingingging feiabrenntinottakring.« Sie bemerkte, wie es um sie herum heiß wurde. Ihre Haare begannen zu knistern und standen steif nach allen Seiten weg. Die Kinder ließen die Tasche fallen und liefen, entsetzlich schreiend, nach allen Seiten davon. Friederike murmelte. »Feiabrenntinwahring, bistagselchtaharing«, stieg aus der Tasche und ging nach Hause.

Diesmal mußte der Katzenkater gar nicht fragen. Man konnte deutlich sehen, daß sich Friederike gewehrt hatte.

Sie war schwarz im Gesicht vom Ruß. Die Haare standen noch immer nach allen Seiten ab. Ihr Kleid war zerrissen.
»Gut, gut, mein Mädchen«, lobte die Katze.

Die Annatante sagte gar nichts. Sie bürstete Friederikes Haare wieder glatt. Dann half sie ihr beim Waschen. Und als Friederike zu Bett ging, deckte die Annatante sie zu. Das tat sie sonst nie.

Unter den Kindern, die Feuerwehr gespielt hatten, war kein einziges ohne Brandblasen. Die Mütter wollten wissen, woher die Brandblasen kamen, aber die Kinder sagten nichts.
Nur ein kleines Mädchen sagte: »Die dicke Friederike hat uns mit ihren Haaren verbrannt!« »Lüg doch nicht«, sagte die Mutter, »so etwas gibt es nicht!«
»Es ist die Wahrheit«, sagte das kleine Mädchen. »Hör sofort zu lügen auf«, schimpfte die Mutter. »Es ist aber die reine Wahrheit!« schrie das Kind. »Schrei mich nicht an!« schrie die Mutter und gab dem kleinen Mädchen eine Ohrfeige.

Einige Erwachsene erfuhren von der Sache mit Friederike und den Brandblasen. Aber sie lachten die Kinder aus. Nur die Urgroßmutter eines kleinen Knaben konnte sich erinnern, daß es in ihrer Jugendzeit auch ein Mädchen mit roten, glühenden Haaren gegeben hatte. Aus Angst, die Leute könnten sie für alt und verrückt halten, sagte sie aber nichts davon. Ein paar Wochen ging alles gut. Die Kinder ließen Friederike anscheinend in Ruhe.

Die Frau Lehrerin freute sich darüber. Der Herr Direktor sagte: »Sehen Sie, Frau Lehrerin, mein Rat war doch sehr gut.«
Der Briefträger brauchte jetzt nicht mehr zu sagen: »Es ist ein Jammer. Es ist ein Jammer!«
Und die Katze schlief jetzt wieder den ganzen Tag.
Dabei war gar nichts in Ordnung. Die Kinder flüsterten sich Lügengeschichten über Friederike zu. Sie sagten: Die ist sehr böse. Die ist sehr gefährlich. Wir lassen uns das nicht gefallen. Unsere Geduld ist zu Ende. Wir müssen uns vor ihr schützen. Wir müssen uns bewaffnen. Die Kinder glaubten fast wirklich, was sie da sagten. Sie taten sich furchtbar leid.

Die Kinder bewaffneten sich. Acht Wochen nach der Sache mit Friederike und den Brandblasen hatte jedes Kind in der Klasse eine Waffe.

Sie hatten Steinschleudern und Steine.
Sie hatten Stoppelrevolver und Stoppel.
Sie hatten Gummiringe und U-Hakerln.
Eines hatte einen Bogen und spitze Pfeile.

Sie hatten beschlossen, in der Schule nichts mehr gegen Friederike zu unternehmen. Sie wollten keine Strafen mehr schreiben.

»Wir erledigen das auf dem Schulweg!« sagten die Anführer.
»Wir erledigen das auf dem Schulweg, ja, ja!« sagten die Kinder.
Sie taten immer das, was die Anführer wollten, und fanden alles herrlich, was die Anführer sagten. So schlichen sie nach der Schule hinter Friederike her und versuchten, auf sie zu schießen.
Die ersten Tage hatten sie keine Gelegenheit, denn es waren immer Erwachsene zwischen Friederike und ihnen. Dann aber wurden die Anführer krank, und die anderen Kinder beschlossen zu warten. Die Anführer wurden wieder gesund. Und bald fiel der erste Stein. Am Tag darauf waren es schon fünf Steine und ein Stoppel. Die Kinder konnten gut schießen. Sie hatten es geübt. Sie trafen selten daneben.

Wenn ein Kind getroffen hatte, dann machte es ein kleines Kreuz auf einen kleinen Zettel. Am Wochenende verglichen die Kinder ihre Zettel, und die Kinder, die die meisten Kreuze hatten, waren sehr stolz. Friederike war voll blauer Flecken. Sie war blaugetupft. Die Tante und der Kater redeten nicht davon. Sie saßen stundenlang nebeneinander auf ihren Sesseln.

Die Tante strickte und schaute den Kater böse an. Einmal sagte sie:
»Na, werte Frau Katze! Es wäre doch wohl besser gewesen, ich hätte ihr nichts gesagt!«
Aber der Katzenkater tat, als wäre er eine ganz gewöhnliche Katze, die nicht sprechen kann, und schwieg.
Da zuckte die Annatante mit ihren dicken Schultern und strickte zwei Maschen rechts, zwei Maschen links. (Sie nannte dieses Strickmuster: zwei schlicht, zwei kraus.)

Der Briefträger, der ja Friederikes Freund war, machte sich Sorgen. Er murmelte immer wieder: »Es ist ein Jammer. Ein Jammer ist das.«
Wenn ihn die Menschen so murmeln hörten, dachten sie, die Füße täten ihm weh. Seine Frau wußte natürlich, daß es nicht die Füße waren, mit denen er Kummer hatte. Sie war auch traurig. Aber sie war nicht nur eine gute Frau, sie war auch eine praktische Frau. Sie dachte nach. Als sie nachgedacht hatte, sagte sie zu ihrem Mann, dem Briefträger:

»Du gehst doch den ganzen Tag Briefe und Geld verteilen. Wenn du ein klein wenig anders als sonst gehst, kannst du Friederike zur Schule bringen und wieder abholen! Wenn du dabei bist, werden die Kinder nicht schießen.«

Der Briefträger dachte daran, daß der Postdirektor ihm seinen Weg vorgeschrieben hatte und daß es streng verboten war, einen anderen Weg zu gehen. Aber als die Frau fragte, ob der Postdirektor wohl damit einverstanden wäre, sagte er: »Ach, dem ist das gleichgültig.« Außerdem merkt er nichts, dachte er. Er wollte seine Frau nicht beunruhigen.

Schon am nächsten Tag begleitete er Friederike zur Schule und holte sie um zwölf Uhr wieder ab. Die Anführer wagten nicht zu schießen. Aber ein Kind, das selber gerne Anführer werden wollte, schlich hinter Friederike und dem Briefträger her und schoß. Der Stein traf den Briefträger mitten auf den Kopf. Der Briefträger war ein gutmütiger Mann. Er hatte noch nie jemanden verdroschen. Aber jetzt schrie er:

»Mein Knabe, was du brauchst, sind Ohrfeigen!«
Und bevor der Knabe weglaufen konnte, hatte er ihn schon gepackt und verdrosch ihn ganz gehörig.

Die Leute, die vorbeigingen, dachten nichts dabei. Sie hatten es eilig.

Der Knabe rannte nach Hause und heulte. Sein Gesicht war rot und verschwollen. Die Mutter war entsetzt. »Du gütiger Himmel«, rief sie, »der Knabe kriegt den Mumps!« »Ich krieg keinen Mumps«, heulte der Knabe, »der Briefträger hat mich verdroschen!« Und er beteuerte, daß er ganz unschuldig sei und überhaupt nichts getan habe, und der Briefträger sei höchstwahrscheinlich wahnsinnig geworden.

Sonderbarerweise glaubte das die Mutter. Sie erzählte alles dem Vater. Der Vater war ein Freund vom Postdirektor. Er ging sich sofort beschweren.

Der Postdirektor befahl am nächsten Morgen den Briefträger zu sich. »Herr Briefträger«, fragte er, »stimmt das? Sie haben gestern um zwölf Uhr ein Kind verdroschen?«

»Es war zwölf Uhr und zehn Minuten«, sagte der Briefträger, »und es war sehr notwendig.«

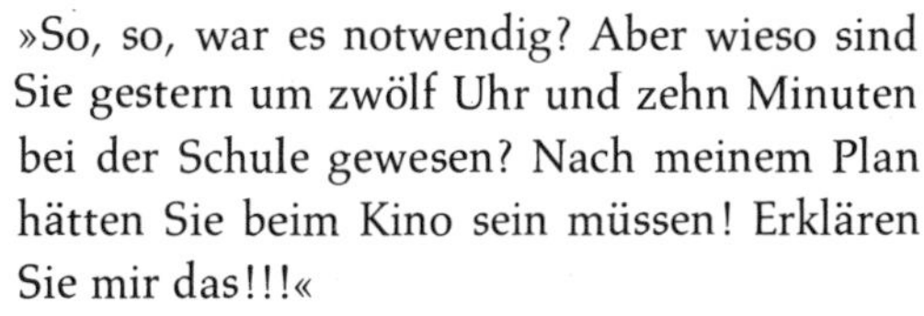

»So, so, war es notwendig? Aber wieso sind Sie gestern um zwölf Uhr und zehn Minuten bei der Schule gewesen? Nach meinem Plan hätten Sie beim Kino sein müssen! Erklären Sie mir das!!!«

Der Briefträger wollte es nicht erklären.
»Sie sind ein pflichtvergessener Briefträger«, fuhr der Postdirektor fort, »und solche muß ich dem Oberpostdirektor melden. Geben Sie mir vom Tisch dort ein grünes Papier.« (Der Oberpostdirektor las nämlich nur Sachen, die auf grünes Papier geschrieben waren.) Auf dem Tisch lagen viele Stöße Papier. Der Briefträger konnte die Farben nicht unterscheiden. So nahm er vom ersten Stoß ein Blatt und reichte es dem Postdirektor. Als der das Papier sah, rief er: »Wollen Sie mich noch mehr ärgern? Ich will ein grünes Papier, kein weißes!« Der Briefträger war verzweifelt. Er begann zu schwitzen. Er griff zum nächsten Stoß und dachte: Hoffentlich ist es jetzt ein grünes. Es war ein gelbes Papier. »Ein grünes Papier will ich!« tobte der Postdirektor. Der Briefträger versuchte es noch einmal. Er hielt dem Postdirektor ein lila Papier hin.

Jetzt schrie der Postdirektor nicht mehr. Er nahm einen Bleistift vom Schreibtisch und hielt ihn in die Höhe. Er funkelte den Briefträger aus seinen kleinen Augen bitterböse an und sagte:
»Herr, hätten Sie die Freundlichkeit mir zu sagen, welche Farbe dieser Bleistift hat!«

Der Briefträger nahm sein Taschentuch aus der Hosentasche, wischte sich den Schweiß von der Stirn und sagte leise:
»Ich weiß es nicht. Ich bin farbenblind.«
»Hab' ich mir's doch gedacht!« schrie der Postdirektor.
Er schlug mit der Faust auf den Tisch, so laut, daß die Beamten im Zimmer daneben meinten, es donnere.
»Es ist nicht zu glauben!« schrie er weiter. »Ein farbenblinder Briefträger! Da können Sie ja nicht einmal die roten von den blauen Briefmarken unterscheiden! Es ist zum Wahnsinnigwerden! Ein farbenblinder Briefträger schlägt auf einem verbotenen Weg kleine Kinder!
Sie sind entlassen. Sie sind entlassen!«

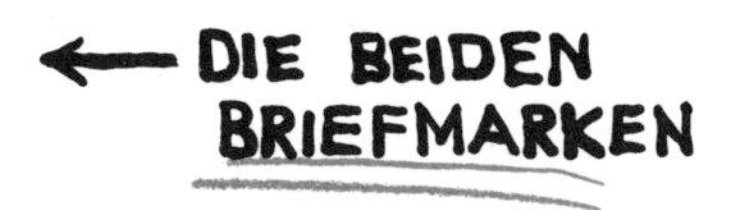

Der Briefträger war von dem vielen Geschrei müde geworden. Er wollte nach Hause zu seiner Frau. Er sagte zum Postdirektor: »Ich habe mich nie geirrt. Auf den blauen Briefmarken ist eine junge Frau aufgezeichnet. Auf den roten eine Kirche. Ich kann eine junge Frau von einer Kirche unterscheiden. Und der neue Weg war genauso gut wie der alte. Und ich habe keine Kinder geschlagen, sondern nur einmal ein Kind. Und das war richtig. Außerdem bin ich seit vierzig Jahren Briefträger. Ich bin nicht entlassen, sondern ab heute pensioniert. Schicken Sie mir bitte meine Pension pünktlich am Ersten jeden Monats.« Dann ging der Briefträger zur Tür hinaus. Die Tasche mit den Briefen ließ er auf dem Schreibtisch liegen.

Der Postdirektor sperrte vor Staunen den Mund auf und schloß ihn erst wieder, als seine Sekretärin ihm eine Stunde später den Kaffee brachte.

Der Briefträger war nun kein Briefträger mehr. Er war Pensionist. Seiner Frau war das recht. Nun war er den ganzen Tag bei ihr. Außer zwischen halb acht und halb neun und zwischen halb zwölf und halb eins. Da führte er Friederike zur Schule und nach Hause.

Die Frau freute sich. Der Briefträger, er hieß übrigens Bruno, tat so, als freute er sich auch. In Wirklichkeit freute er sich aber gar nicht. Er hätte gerne noch weiter Briefe ausgetragen. Und den Leuten Geld gebracht. Obwohl er schon vierzig Jahre bei der Post gewesen war, war er noch nicht alt, denn er war schon mit vierzehn Jahren Briefträger geworden. Er hatte nichts anderes gelernt als Geld verteilen und Briefe austragen. Und das ist ja nicht gerade viel. Er hatte nicht etwa deswegen so wenig gelernt, weil er dumm war. Er war nicht dumm. Aber solange man lernt, verdient man kein Geld, und Bruno hatte schon mit vierzehn Jahren Geld verdienen müssen.

Zwei Wochen, nachdem Bruno pensioniert worden war, begannen die Ferien. Die meisten Kinder fuhren aufs Land oder gingen ins Bad. Sie kümmerten sich nicht um Friederike. So hatte sie ihre Ruhe.

Ins Bad oder auf den Spielplatz hätte sie natürlich nicht gehen dürfen, aber das wollte sie schon längst nicht mehr. Sie blieb zu Hause wie die Annatante.
Bruno kam jetzt oft mit seiner Frau. Dann tranken sie Kaffee, oder Friederike holte Eis. Sie erzählten sich Geschichten; aber nur lustige. Die Katerkatze hörte nur zu, denn sie sprach noch immer kein Wort. Wenn kein Besuch da war und alles aufgeräumt und eingekauft war, dann las Friederike. Sie hatte zwar nur zwei Bücher, den Struwwelpeter und Max und Moritz. Die hatte ihr die Frau von Bruno geschenkt.
Aber Friederike streifte die Zeitungsblätter glatt, in die der Gemüsemann den Salat und die Milchfrau die Eier gewickelt hatten, und las, was darauf stand.
Sie schrieb Geschichten auf. Dann machte sie die Augen zu und vergaß, was sie geschrieben hatte. Bis sie alles vergessen hatte, machte sie die Augen wieder auf und las die Geschichten.
Sie konnte das wirklich!

Auch die Tante las jetzt öfters in dem roten Buch. Friederike hätte auch gerne in dem Buch gelesen, aber es war in einer fremden Sprache geschrieben.
Friederike wollte die Sprache von der Tante lernen. Die Tante sagte: »Leider, mein Kind, ich habe fast alles vergessen. Darum brauche ich ja so lange, und trotzdem verstehe ich nicht einmal die Hälfte!«
Obwohl Friederike die Worte nicht verstehen konnte, blätterte sie oft in dem Buch und konnte ganze Sätze auswendig. Ihr Lieblingssatz war:

»Ke iner wir da usge lac ht.«

Oder: »Were inma lü berd Emk ircht Ur mistd,
erk ommtsi chera n.«

Das rote Buch war schon sehr staubig. Friederike schüttelte es ein wenig, damit der Staub herausfalle. Da rutschte ein Brief heraus. Er mußte ganz hinten im Buch gelegen sein.

Auf dem Briefkuvert stand: An Friederike.
Das war nicht die Schrift der Annatante. Friederike hatte noch nie einen Brief bekommen. Sie war sehr aufgeregt. Der Brief schien alt zu sein. Das Kuvert war grau und staubig. Sie wollte nach der Tante rufen. Da hielt ihr die Katze mit der Pfote den Mund zu und flüsterte: »Mach ihn auf. Ich will wissen, was drin steht. Die Tante hat ihn da hineingelegt, als du noch ganz klein warst. Sie hat mir nie gesagt, von wem der Brief ist.« Friederike riß das Kuvert auf und zog einen zusammengefalteten Briefbogen heraus. Sie öffnete ihn und las. Die Katze war auf ihre Schultern gesprungen und las mit:

Meine liebe Tochter!

Ich weiß nicht, was für ein Mädchen aus Dir werden wird. Vielleicht bekommst du blonde Haare und wirst sehr glücklich.

Jetzt bist Du ein Baby mit langen roten Haaren.
(Die Annatante meint, die Haarfarbe könne sich noch ändern.)

Ich reise ab. Weil Du noch klein bist, kann ich Dich nicht mitnehmen.

Wenn Du diesen Brief lesen kannst, dann bist Du schon so groß, daß Du genau weißt, ob Du glücklich bist.

Wenn Du nicht sehr glücklich bist, dann komm zu mir.
Nimm die Annatante und die Katze mit.
Die Reise ist nicht sehr lang.

In dem roten Buch steht genau aufgeschrieben, wie ihr zu mir kommt.
Komm bitte bald!

Dein Vater

PS: Die Annatante kennt die Sprache, in der das rote Buch geschrieben ist.

Als Friederike den Brief fertig gelesen hatte, faltete sie ihn wieder zusammen, nahm den Katzenkater von der Schulter und ging zur Annatante in die Küche. Der Katzenkater lief hinter ihr her. Sein Schwanz stand kerzengerade in die Luft.

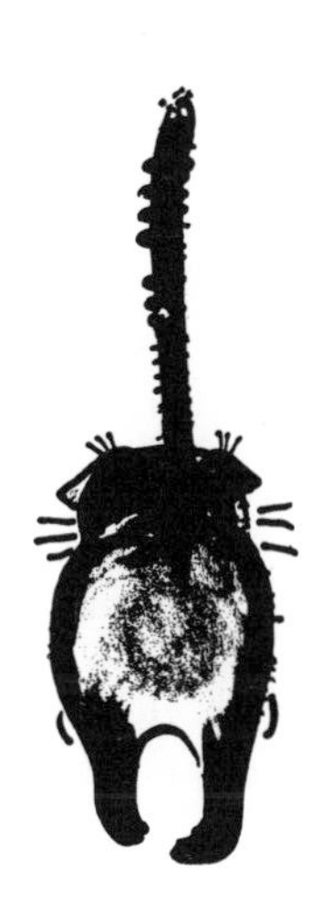

Die Annatante machte gerade Marillenknödelteig. Friederike sagte: »Ich will zu meinem Vater reisen.« Die Tante wischte ihre mehligen Hände an der Küchenschürze ab, stellte den Wassertopf vom Feuer, murmelte: »Das hat Zeit«, und ging mit Friederike in das Zimmer. Die Tante setzte sich auf ihren Sessel. Der Katzenkater, der ihnen nachgegangen war, sprang auf den seinen. Friederike blieb stehen. »Hast du den Brief aufgemacht?« fragte die Annatante. »Der Brief gehört mir. Ich bin alt genug!« sagte Friederike. »Ja, ja, ich weiß, ich weiß«, seufzte die Tante, »aber so einfach ist das nicht. Ich hätte dir den Brief längst gegeben, aber ich kann die Sprache nimmer, in der das rote Buch geschrieben ist. Tut mir leid, ich habe sie vergessen. Ich versuche es ja jeden Tag, aber es geht nicht. Ich verstehe kaum ein Wort. Das einzige, was ich dir sagen kann, ist, daß du fliegen kannst.«
»Fliegen?« staunte Friederike.
»Ja«, sagte die Annatante, »dein Vater war auch ein sehr guter Flieger. Ich selbst bin auch oft geflogen. In der Nacht. Aber nur zum Spaß. Es war sehr schön.« »Ich kann auch fliegen!« erklärte die Katze. »Jetzt nicht mehr«, sagte die Annatante, »du bist viel zu fett.«

»Wie muß ich das machen?« wollte Friederike wissen.

Die Tante erklärte:
»Du mußt die Stirn in Falten legen. Das mußt du üben. Einmal Falten, einmal glatte Stirn. Dann bewegen sich deine Haare, und du fliegst.« Diesmal probierte es Friederike sofort. Und ohne zu üben, war sie gleich an der Zimmerdecke.

»Mit den Händen kräftig schlagen«, kommandierte die Tante. »Mit den Füßen noch ein wenig strampeln«, riet die Katze.

Da klingelte es an der Wohnungstür.

Die Tante ging die Tür öffnen und brachte Bruno, den Briefträger, herein.
Als ihn Friederike von oben begrüßte – sie hatte sich inzwischen auf den Luster gesetzt –, war Bruno sehr erschrocken.
Dann übte Friederike landen.

Auch das ging gut.
Die Tante war stolz auf Friederike. Friederike freute sich sehr. Da beschloß auch Bruno sich zu freuen. Das fiel ihm nicht ganz leicht. Er besah sich auch das rote Buch. Natürlich konnte auch er die Sprache nicht verstehen.
Aber er hatte eine sehr gute Idee!

Er telefonierte mit seiner Frau und bat sie zu kommen. Er bat sie auch, zum Papierhändler zu gehen und hundert Bogen Zeichenpapier zu kaufen. Nach einer Stunde war seine Frau da. Sie zerschnitten jedes Blatt Papier in vier Teile. So erhielten sie vierhundert Karten. Friederike suchte einen ihrer Lieblingssätze aus dem Buch. Sie schrieb ihn dreimal ab und verteilte die abgeschriebenen Sätze an die anderen. Dann nahm jeder eine Karte und schrieb darauf:

Sehr geehrter Herr!
Di Ere is eda Uer te Inest
Unde
Wenn Sie diesen Satz ver=
stehen, dann seien
Sie bitte so lieb und helfen
Sie uns. Es ist sehr wichtig
Annatante Friederike
Sterngasse 7/10/20

Bis vierhundert Karten vollgeschrieben sind, vergeht viel Zeit. Es war Mitternacht, bis sie mit allen Karten fertig waren. Brunos Frau ging müde nach Hause. Die Annatante, Friederike und die Katze gingen schlafen.
Für Bruno begann aber erst jetzt die wirkliche Arbeit.
Er packte alle Karten in die große Einkaufstasche und ging damit von Haus zu Haus. So wie früher, als er noch Briefträger gewesen war. Und überall dort, wo ein gescheiter Mann wohnte, warf er eine Karte in den Briefkasten.

Aber dieses Mal ging er keinen vorgeschriebenen Weg. Er lief kreuz und quer durch die Stadt. Wie es ihm gerade einfiel. (Das war sehr lustig für ihn.)

Dann lief er nach Hause. Er merkte erst jetzt, wie müde er war. Vorsichtig schlich er in das Schlafzimmer, um seine Frau nicht zu wecken. Vorsichtig kroch er zu ihr in das Bett. Als die Frau ihren Mann neben sich spürte, wurde sie ein bißchen munter und murmelte: »Hoffentlich geht alles gut!«
Bruno zog die Bettdecke über die Schultern und dachte zärt-

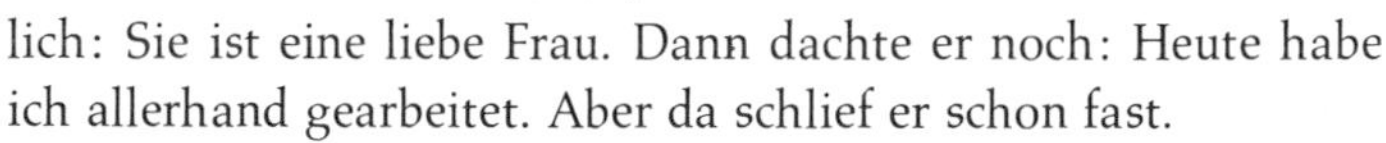

lich: Sie ist eine liebe Frau. Dann dachte er noch: Heute habe ich allerhand gearbeitet. Aber da schlief er schon fast.

Am nächsten Morgen war Friederike natürlich sehr aufgeregt. Die Katze war auch sehr unruhig. Friederike sagte: »Hoffentlich kommt jemand.« Die Katze sagte: »Es kommt bestimmt jemand!« Die Tante ließ beim Stricken die Maschen fallen. Sie sagte: »Wenn wirklich jemand kommt, dann halte bitte den Mund, denn manche Leute mögen keine Katzen, die sprechen.«

Am Abend klingelte es an der Türe. Es war ein kleiner dünner Mann. Er hielt eine von Friederikes Karten in der Hand.
»Sind Sie die beiden Damen, die diese Sprache so dringend erlernen wollen?« fragte er. »Mein Name ist Professor Profi. Ich habe heute leider sehr wenig Zeit, auch sah ich diese Sprache heute zum ersten Mal. Aber ein kluger Mann erkennt das sofort!«

Der Professor nahm einen Bleistift aus der Tasche und machte auf die Karte ein paar Striche:

DI E/RE IS E/DA UER T/E INE/ST UNDE!

Friederike begriff sofort, was der Professor meinte.
Die Annatante rief: »Natürlich, natürlich! Wie habe ich das nur vergessen können!«

Der Professor Profi sagte: »Hoffentlich war das wirklich wichtig, denn meine Zeit ist knapp!«

Er betrachtete Friederike: »Du hast schöne Haare! Würdest du so lieb sein und mir das Fenster öffnen?« Er nahm seinen Hut vom Kopf. Es kamen viele rote Haare zum Vorschein. Friederike öffnete verwirrt das Fenster. Der Professor stieg auf das Fensterbrett und flog davon.

Die Tante stand wie versteinert. »Das war mein Cousin«, sagte sie. »Er ist vor fünfzig Jahren verschwunden.« »Ich hab ihn gleich erkannt«, knurrte die Katerkatze, »aber ich sollte ja den Mund halten!« »Hat dein Cousin Professor Profi geheißen?« wollte Friederike wissen. »Namensänderungen waren schon immer seine Angewohnheit«, murmelte die Tante, »er ist älter und dünner geworden, aber trotzdem hätte ich ihn erkennen müssen!«

Die Katze wurde ungeduldig. Sie wollte endlich wissen, was in dem roten Buch stand. Friederike begann vorzulesen. Zuerst war es noch etwas mühsam, aber bald konnte sie so gut lesen wie in ihrem Schulbuch.

Als Friederike heiser wurde, las die Tante weiter, und die Katze hörte zu und schnurrte. Sie schnurrte zum ersten Mal in ihrem langen Leben.

In dem Buch stand:

Es gibt ein Land, dort sind alle Menschen glücklich.

Auf Seite 12 stand:

Al lek ind erwer dend Ort sehr gescheit. Sie gehen in schöne Schulen. Kein Kind wird ausgelacht. Alle helfen einander.

Auf Seite 24 stand:

DieV äte rund Mü tter müssen dort nicht sehr viel arbeiten. Keiner will reicher werden als die anderen. Der Schuster macht Schuhe, weil er das gerne tut. Wer Schuhe braucht, holt sich welche von ihm. Und wenn er Brot oder Fleisch oder ein Bild oder ein Buch haben will, dann geht er zu den Menschen, die Brot oder Fleisch oder Bilder oder Bücher haben, und holt, was er braucht. Wenn dort jemand gar nichts arbeiten will, geben ihm die Leute auch alles umsonst. Sie sind nicht geizig. Die meisten Menschen arbeiten aber trotzdem. Es macht ihnen Spaß.

Auf Seite 56 stand:

Fürar beit endi Ekeine Rmach enwillh aben sie Maschinen erfunden.

Das Kapitel, in dem geschrieben stand, wie man in dieses Land kommt, war das letzte.

Friederike las:

Leid eris td erWeg in dieses Land sehr schwierig. Man müßte mit dem Zug, dann mit dem Schiff und dann wieder mit dem Zug fahren. Dann müßte man auf Eseln über steile Pfade reiten und dann über spitze Felsen klettern. Aber selbst wenn man das alles tun wollte, gelänge es noch längst nicht, denn man bekommt keine Auskunft, wo der richtige Weg ist. (Wegweiser sind sehr wenige aufgestellt, und die wenigen, die es gibt, wurden von bösen Menschen verdreht.)

Denn die Menschen können nicht glauben, daß es dieses Land gibt. Oder sie glauben, es sei woanders. Sehr wenige wissen davon, sagen aber aus Bosheit nichts.

Die einzigen Menschen, die ganz einfach in dieses Land kommen, sind die, die rote, rosa oder lila Zauberhaare haben. Sie fliegen dorthin. Sie müssen gar nichts tun, als hoch in die Luft fliegen.

Di ere is eda Uer te Inest Unde. Wer einmal über dem Kirchturm ist, der kommt sicher an.

Jetzt wußte es Friederike ganz genau. »Morgen fliege ich hin!« wollte sie sagen, aber als sie zu ihrer Tante schaute, schwieg sie. Die Tante saß da, und Tränen rollten über ihre Wangen. Sie wischte die Tränen nicht weg. Sie schluchzte nicht. Sie sagte kein Wort. »Weinst du?« fragte Friederike. »Nein«, sagte die Annatante.

»Natürlich weinst du«, rief die Katze. »Du weinst, weil Friederike fortfliegen will. Gib's doch zu!«

»Aber nein, ich freue mich doch«, sagte die Tante, und die Tränen rollten weiter. »Friederike wird dort glücklich sein. Es wäre noch schöner, wenn mich das nicht freute.«

Dann legte sich die Annatante ins Bett. Friederike löschte das Licht und ging auch schlafen.

Friederike erwachte. Ein sonderbares Geräusch hatte sie geweckt. Es war zeitig am Morgen. Die Tante schlief noch. Der Katzenkater aber lag nicht mehr auf seinem Sessel. Das Geräusch kam vom Dachboden her. Friederike öffnete die Wohnungstür und schlich zum Dachboden.

Dort sah sie die Katerkatze.

Die Katze schnaubte und ächzte und ruderte und schlug mit dem Schwanz Kreise. Und das nicht auf dem Boden, sondern in der Luft.

»Was tust du da?« fragte Friederike. »Kannst du es nicht sehen?« stöhnte die Katze. »Warum tust du das?« wollte Friederike wissen. »Ab heute«, sagte die Katze, »will ich nichts mehr zu fressen haben. Ich muß abnehmen, damit ich wieder ordentlich fliegen kann. Ich will mit dir fliegen!«

»Und die Tante?« fragte Friederike. »Soll die Tante ganz allein hierbleiben?«

Jetzt landete die Katze mit einem lauten Plumps. Sie sagte: »Mir scheint, ich bin die einzige hier, die brauchbar denken kann. Ich will hin. Du willst hin. Die Tante wollen wir nicht allein hierlassen. Also neh-

Sie gingen in die Wohnung zurück. Die Tante war inzwischen aufgestanden und kochte das Frühstück. Sie war erstaunt, daß die Katerkatze ihre Milch nicht trank, sagte aber nichts.
Dann kam eine Woche, in der Friederike und der Kater den ganzen Tag über auf dem Dachboden waren. Sie hatten Küchengewichte hinübergetragen und ein Nudelbrett, einige Steine, einen Briefbeschwerer, einen Mörser und eine alte Marmorplatte.
Bevor sie die Sachen hinübergetragen hatten, hatten sie sie abgewogen. (Die Gewichte natürlich nicht.)
Die Annatante fand merkwürdige Rechnungen auf dem Tisch. Einmal fragte Friederike: »Tante, wie schwer bist du?« »Neunzig Kilo, wahrscheinlich«, meinte die Tante. Da seufzte Friederike.

90!
MÖRSER 10 kg
NUDELBR. 6 .
16 kg
STEINE 24 Kg
NOCH 10 Kg!
ICH 40 Kg
+24
16
40
90
-40
50
90
ZU SCHWER

Bruno und seine Frau waren in dieser Woche einmal zu Besuch. Es war aber nicht so lustig wie sonst. Der Kater war viel dünner geworden, und Friederike war richtig schlank. Als der Briefträger eine Geschichte erzählte, merkte er, daß Friederike heimlich unter dem Tisch rechnete. Brunos Frau hatte der Katze Schokolade mitgebracht, aber die Katze aß nicht davon.
Die Tante war traurig. Sie erzählte ihnen, daß der Cousin dagewesen war und daß er die fremde Sprache übersetzt hatte. Sie erzählte, was in dem roten Buch stand und daß Friederike bald fortfliegen wollte.

Am Heimweg sagte Brunos Frau, daß sie am liebsten auch mitflöge, und Bruno erzählte ihr, daß er schon immer von so einem Land geträumt habe. Als Kind schon und später immer wieder, beim Geldabzählen und beim Briefeausteilen. Wenn er jünger wäre, meinte er, würde er sogar versuchen, mit den Zügen und Schiffen und Eseln dorthin zu kommen; so sehr wolle er in dieses Land.

Eines Morgens zog Friederike ihre rote Strickjacke an, nahm die Katze auf den Arm und sagte: »Wir müssen wohin. Wir kommen bald wieder.« »Katze«, staunte die Annatante, »du warst seit fünfzig Jahren nicht mehr auf der Gasse.« »Dann wird es höchste Zeit, daß ich wieder einmal hinunterkomme!« sprach der Katzenkater.
Als sie gegangen waren, beugte sich die Annatante aus dem Fenster, um ihnen nachzuschauen. Tief unten sah sie Friederike. Die Katze lief neben ihr. Wie dünn die beiden geworden sind, dachte die Tante. Dann fiel ihr ein, daß die beiden fast nichts mehr aßen. Sie hatte es in ihrem Kummer bis jetzt nicht bemerkt.

Die Tante ging zum großen Spiegel. Der Spiegel war schon sehr alt. Der Belag war an vielen Stellen abgeblättert. Man konnte sich nicht mehr gut darin sehen. Trotzdem betrachtete sich die Tante lange Zeit darin und sprach dann laut zu ihrem Spiegelbild: »Alte Annatante, so geht das nicht weiter. Alles kommt durcheinander. Die uralte Katze geht wieder aus dem Haus und ist dünn geworden, und du sitzt da herum und weißt nicht, was du tun sollst!« Die Spiegelannatante jammerte:
»Was soll ich denn tun? Ich bin alt, ich habe weiße Haare. Mir wird schon schwindlig, wenn ich aus dem Fenster schaue. Ich kann nicht mehr fliegen!«

Die Annatante schaute die Spiegelannatante böse an und sagte: »So? Und das Pumpern und Plumpsen und Flattern und Kratzen auf dem Dachboden? Wofür hältst du das? Du weißt genau, das ist die uralte Katze, die dort wieder fliegen lernt! Und du? Du bist zu feig dazu! Probier's doch! Sofort!«

Da war die Spiegelannatante sehr erschrocken, denn die Annatante hatte die letzten Worte fast geschrien. Sie legte die Stirne in Falten, und die weißen Härchen flatterten ihr um die Ohren, und sie ruderte mit den Armen. Sie hielt sich zehn Sekunden lang zwanzig Zentimeter über dem Teppich in der Luft. »Schluß jetzt«, kommandierte die Annatante, machte eine glatte Stirn, und die beiden Annatanten standen wieder auf dem Boden. »Ich brauch' jetzt Hilfe«, sagte die Annatante zur Spiegelannatante, kehrte ihr den Rücken und holte sich das Telefonbuch und blätterte bei P. Sie murmelte:

Probus ... Procek ... Prodama ... Prodwinek ... Profana ... »Profi«, rief sie, »hier ist er.«
Sie nahm einen kleinen Zettel, notierte die Adresse darauf, setzte ihr Kopftuch auf, nahm ihren Stock, versperrte die Wohnungstür und stieg über hundert Stufen hinunter.

Sie winkte einem Taxi, das beim Haustor vorbeifuhr, kletterte mühsam in den Wagen und hielt dem Fahrer ihren Zettel hin. Das Taxi fuhr los. Die Annatante schloß die Augen und dachte: Hoffentlich ist der Cousin zu Hause. Hoffentlich hat er Zeit für mich. Ich brauche seine Hilfe jetzt wirklich.

Friederike war inzwischen mit der Katze bei Bruno und seiner Frau angekommen. Sie erzählte ihnen, daß sie die Annatante in das herrliche Land mitnehmen wollten. »Muß sie wieder fliegen lernen?« fragte Bruno. »Nein, das täte sie nie!« sagte die Katze. »Wir werden sie tragen!« Friederike erklärte weiter:

»Zuerst hat die Katze abgenommen, damit sie wieder ordentlich fliegen kann. Ich konnte schon damals ganz leicht fliegen. Obwohl ich so dick war. Dann haben wir weiter fliegen geübt. Wie man am besten die Arme und Beine bewegt. Wie man am klügsten die Stirne in Falten legt. Während der Zeit haben wir fast nichts gegessen. So sind wir ziemlich dünn geworden und können jetzt nicht nur uns selber in der Luft halten, sondern noch ungefähr achtzig Kilo mittragen. Wenn wir die Annatante in einen großen Waschkorb setzen, und ich binde den Korb an meinen Haaren fest, und der Kater schiebt hinten an, dann können wir die Tante mitnehmen. Sie muß aber noch zehn Kilo abnehmen. Sie hat jetzt ungefähr neunzig Kilo. Das schaffen wir nicht.« »Nun wollten wir dich bitten, Bruno«, meinte die Katze, »daß du mit uns nach Hause kommst und ihr das erklärst. Auf dich hört sie. Uns würde sie wahrscheinlich auslachen und sagen, sie sei zu alt! Und bitte, bestell auch in einer Plastikfabrik einen riesengroßen Wäschekorb. Die, die es in den Geschäften gibt, sind zu klein für die Tante.«

Bruno telefonierte sofort mit der Plastikfabrik: »Bitte, haben Sie einen Waschkorb, in dem eine 80 Kilo schwere Frau sitzen kann?«
»Natürlich«, sagte das Telefonfräulein, »wir haben alles.«

Die Annatante machte die Augen erst wieder auf, als das Taxi hielt. Sie zahlte und stieg aus. Im Hausflur war es stockdunkel.

Die Tante tastete sich mühsam die Wand entlang. Einmal stolperte sie und wäre fast hingefallen. Sie suchte in ihrer Tasche nach Streichhölzern. Es waren keine dort. »Soll ich umkehren?« murmelte sie. »Ich breche mir sonst noch ein Bein!« Dann sagte sie entschlossen zu sich selber: »Nein, alte Annatante, sei nicht feig! Mach dir Licht!!!« Sie zog die Haarnadeln aus ihrem kleinen Knoten. Jetzt hingen ihr die Haare über die Schultern. Sie murmelte: »Rotarotaginginging feiabrenntinottakring.«

Es knisterte nur sehr wenig, und es wurde auch nur ein bißchen heiß, aber die Haare glühten, und im Lichtschein der glühenden Haare konnte sie ein Schild erkennen. Und daneben eine Tür. Auf dem Schild stand:

Professor PROFI
Spezialist
Nicht klopfen!
Eintreten!

»Nun, dann trete ich eben ein«, sagte die Annatante und öffnete die Tür. Sie betrat einen großen Raum. Zuerst sah sie nur Bücher und sonderbare Apparate. Dann entdeckte sie den Cousin. Er saß auf einem Stapel Bücher und frühstückte.

Die Annatante fragte, ob sie ihn störe.
»Nein«, sagte der Cousin, »heute habe ich Zeit.« »Ich brauche deine Hilfe. Ich muß wieder fliegen lernen.« Der Cousin betrachtete sie erstaunt. »So etwas verlernt man nicht. Du kannst doch fliegen!«

»Ich habe aber Angst. Ich bin schon fünfzig Jahre nicht mehr geflogen. Und ich glaube, daß ich abstürze!«
»Dann müssen wir eben üben. Aber zuerst, teure Cousine, tu etwas gegen deine glühenden Haare. Du zündest ja meine Bücher an.« »Bistagselchtaharing«, murmelte die Tante erschrokken und fügte entschuldigend hinzu: »Mir ist das alles so ungewohnt!«

Die Annatante setzte sich auf einen Stoß Bücher und blickte den Cousin erwartungsvoll an. Denn der Cousin dachte nach. Als er nachgedacht hatte, kramte er in seiner Schreibtischschublade herum und holte nach langem Suchen zwei Tiegel mit Salbe heraus. Einen roten und einen schwarzen Tiegel. Er öffnete den roten Tiegel. »Das wird dir Mut machen.« In dem roten Tiegel war eine rote Creme.

Mit der roten Creme färbte der Cousin die Haare der Annatante ganz rot. Die Annatante besah sich im Spiegel, und wirklich, sie fand sich um Jahre verjüngt.

Nun begannen für die Annatante die anstrengendsten Stunden ihres Lebens. So geplagt hatte sie sich noch nie. Auch für den Cousin war es eine harte Arbeit. Aber sie hatten Erfolg. Zu Mittag sagte der Cousin: »Schluß jetzt«, und wischte sich den Schweiß von der Stirn. »Mehr kann ich dir nicht beibringen. Nimm noch ein paar Tage das Haarwuchsmittel, dann fliegst du genauso gut wie ich!«

Sie setzten sich auf das Dachsims. Die Tante war nicht mehr schwindlig. »Wann wollt ihr wegfliegen?« fragte der Cousin. »Heute ist Dienstag«, sagte die Tante, »spätestens am Sonntag müssen wir wegfliegen, denn am Montag beginnt wieder die Schule. Da will Friederike sicher schon dort sein. Cousin, ich danke dir! Ich muß jetzt gehen.« »Gehen?« schimpfte der Cousin. »Wozu habe ich mich so geplagt? Du fliegst!« Die Tante wäre lieber noch ein einziges Mal gegangen. »Aber, wenn mich jemand sieht?« Der Cousin lachte: »Keine Angst! Du hast gar keine Ahnung, wie selten die Leute in die Höhe schauen. Wenn dich trotzdem einer sieht, so hält er dich für einen Vogel.«

Die Tante seufzte. Dann dachte sie an den stockfinsteren Hausflur, machte einen kleinen Sprung in die Luft und flatterte nach Hause.

Inzwischen kamen Friederike und die Katze und Bruno und seine Frau zur Wohnung der Annatante. Sie waren alle sehr erstaunt, als sie die Wohnungstür versperrt fanden.

Sie suchten auf dem Dachboden nach der Tante. Dort war sie natürlich auch nicht. Verwirrt gingen sie in die Wohnung zurück. Und dort saß mitten im Zimmer die Tante.

Da rief Friederike: »Wo warst du? Ich bin doch bei der Stiege gestanden. Kein Mensch ist heraufgekommen!« Die Tante sagte, sie sei in der Abstellkammer gewesen. Der Katzenkater wußte, daß das gelogen war, denn er hatte auch dort nach der Tante geschaut. Er sagte aber nichts. Bruno hielt nun der Annatante eine lange Rede. Er erklärte ihr den Plan von Friederike und der Katze in so schönen Worten, daß seine Frau und Friederike und die Katze ganz gerührt waren. Doch die Tante lachte. Sie lachte und lachte. Sie hielt sich vor lauter Lachen ihren Bauch.

Endlich hatte sich die Tante beruhigt. »Entschuldigt, ich meine es nicht böse!« Sie sagte: »Bruno, wie schwer sind Sie? Und wie schwer ist Ihre Frau?«

»Dann bestellt einen Waschkorb für 140 Kilo. Ich werde auch anschieben.« Und sie riß sich ihr Kopftuch vom Kopf und legte die Stirn in Falten und flog eine Runde im Zimmer.

Was nun geschah, ist kaum zu beschreiben. Alle wurden verrückt. Friederike umarmte den Briefträger, dieser seine Frau und diese die Katze. Und alle zusammen umarmten die Annatante.

Bald schwebten sie in der Luft, bald kugelten sie über den Teppich. Sie lachten und schrien und sangen. Die Leute, die unter ihnen wohnten, hielten das für ein Erdbeben.

Eine Stunde später: Die Tante erzählte vom Cousin und zeigte ihnen das Haarwuchsmittel. Bruno telefonierte um einen Waschkorb für 140 Kilo. »Es gibt noch Schwierigkeiten«, meinte die Katze, »wir werden den Riesenwaschkorb nicht über die Stiegen bringen.«

»Außerdem sind die Dachfenster zu klein«, sagte Friederike. »Machen wir es in der Nacht auf dem Hauptplatz«, schlug Bruno vor. »Papperlapapp«, sagte die Tante, »warum in der Nacht? Sollen uns ruhig alle sehen. Wir steigen am Sonntagvormittag punkt zehn Uhr vom Kirchplatz auf. Die Leute sollen sich einmal ordentlich wundern.«

Nun blieben ihnen noch vier Tage Zeit. Die Annatante und Friederike und die Katze schmierten sich dreimal täglich die Haare mit der Salbe ein. Der Cousin hatte nicht gelogen. Die Haare wuchsen fabelhaft.

Bruno und seine Frau waren sehr beschäftigt. Sie sagten: »Wir müssen die Angelegenheiten in Ordnung bringen«, und schrieben Briefe.

An die Sozialversicherung: Frau Annatante braucht ab Oktober keine Pension mehr. Sie wandert aus.	An den Postdirektor: Ab Oktober dieses Jahres brauche ich keine Pension mehr. Bruno (Briefträger in Ruhestand).	Sehr geehrter Herr Schuldirektor! Das Kind Friederike kann nicht mehr in Ihre Schule kommen, denn es wandert aus. Es wird in seiner neuen Heimat in die 2. Klasse gehen.

Das rote Buch packten sie ein
und schickten es an: **PROF. PROFI/SPEZIALIST**

Sie holten den 140-kg-Waschkorb aus der Fabrik und trugen ihn zur Tankstelle am Hauptplatz. Sie gaben dem Tankwart 50 Schilling und baten ihn, bis Sonntag auf den Korb aufzupassen.

Sonntag früh um sechs Uhr räumte die Annatante die letzten Lebensmittel aus dem Kühlschrank und dem Küchenkastel. Sie tat sie in eine große Schachtel. Obenauf legte sie einen Zettel: Wir brauchen das nicht mehr. Vielleicht können Sie es brauchen.

Annatante und Friederike.

Friederike trug die Schachtel zur Hausmeisterin.

Ungefähr zur gleichen Zeit brachte auch Brunos Frau ihre Vorräte zu ihrer Nachbarin. Das Geld, das sie noch hatte, schenkte sie dem Mann, der unter ihr wohnte.

Der Mann, der unter ihr wohnte, die Nachbarin und die Hausmeisterin freuten sich so sehr, daß sie gar nicht dazu kamen, sich zu wundern.

Zehn Minuten vor zehn Uhr trafen sich die Tante, Friederike, die Katze, Bruno und seine Frau bei der Tankstelle und holten den Wäschekorb.

Dann gingen sie zum Kirchplatz. Dort standen viele Leute, denn es war gerade die Messe zu Ende gewesen.

Das sind die Menschen auf dem Kirchplatz. In Wirklichkeit waren es aber noch viel mehr Menschen. Auch die meisten Kinder aus Friederikes Klasse waren darunter.
Und der Schuldirektor
und die Lehrerin
und der Postdirektor.
Friederike erkannte aber niemanden.
Sie war zu aufgeregt.

Als die Leute die rothaarige Familie kommen sahen, hörten sie zu tratschen auf und schauten neugierig. Viele kicherten, und die Kinder erkannten Friederike sofort.

Genau in der Mitte des Platzes blieben sie stehen. Die Annatante reichte Friederike Bindfäden. Friederike band nun ihre Haare – Strähne um Strähne – geduldig am Waschkorb fest. Als alle Haare ordentlich festgebunden waren, kontrollierte die Tante noch einmal alle Knoten. Dann sagte Friederike: »Darf ich bitten!«

»Mit dem größten Vergnügen«, rief Bruno und reichte galant seiner Frau die Hand. Die Tante stellte sich zum rechten Henkel des Korbes, die Katze zum linken.

So still wie jetzt war es auf dem Kirchplatz sonst nur mitten in der Nacht. Dann rief Friederike: »Achtung, fertig, los!« Bei »los« legte sie die Stirn in Falten. Ihre Haare wurden wie riesige rote Flügel, und schon war sie in der Luft. Jetzt waren auch die Tante und die Katze vom Erdboden abgesprungen. Noch ein kleiner Ruck, und der Korb war auch in der Luft.

»Sie sind schon beim zweiten Stock«, rief jemand.
»Sie sind schon höher als die Kastanienbäume!«
»Schau!«
»Sie sind schon über dem Kirchturm!«

Das alles sah auch der Bürgermeister von seinem Fenster aus. Er wurde unruhig. »Das ist nicht gut für die Leute«, sagte er, »das ist gar nicht gut, wenn sie so etwas sehen! Ich muß etwas unternehmen!« Und er lief zum Telefon und telefonierte mit dem Vorstand vom Gesangverein und mit dem Direktor vom Zirkus.

Die Leute standen noch immer auf dem Kirchplatz und starrten in den Himmel. Von unten konnte man nur noch einen verschwommenen Fleck erkennen. Einer Wolke ähnlich. Nur rot natürlich.
Da marschierte der Gesangverein auf den Kirchplatz und sang. Gleich dahinter kam das große Auto vom Zirkus angefahren.

Aus dem Zirkusauto sprangen ein Clown und eine Seiltänzerin und ein Zauberer und ein Ehepaar mit einer langen Stange.

Die Seiltänzerin spannte ihr Seil und balancierte über den Köpfen der Leute. Der Clown schlug Purzelbäume und brachte alle zum Lachen. Und der Mann stellte die Stange auf seinen Kopf, und seine Frau kletterte bis an das Ende der Stange und machte dort oben einen Kopfstand. Der Zauberer stellte sich genau dorthin, wo Friederike gestanden war, und zauberte aus seinem Hut und seinen Ärmeln Blumen und Hasen und Bänder und Seidentücher.

Und die Leute hörten auf, in den Himmel zu starren, und schauten ihm zu. Der Zauberer zauberte so lange, und die Seiltänzerin tanzte so lange, und der Mann hielt seine Frau so lange in der Luft, und der Clown stellte sich so lange blöde, bis kein einziger Mensch mehr in den Himmel starrte. Dann gingen alle nach Hause und sagten: »Es war ein guter Zirkus!« Der Bürgermeister aber rieb sich die Hände und murmelte: »Na, dann kann ich ja auch alles vergessen!« Dann legte er sich auf sein Sofa und schlief ein.

Nachschrift:

An die jungen Damen und Herren, die dieses Buch bis zum Ende gelesen haben!

Gestern ist Katinka wieder zu mir gekommen. Katinka ist das kleine Mädchen, das neben mir wohnt. Sie kommt jeden Tag und holt sich die Zeichnungen, die ich verpatzt habe. (Das ist jeden Tag ein kleiner Stoß.) Sie kennt die Geschichte also von Anfang an. Und da sagte sie gestern zu mir: »Du, Tante« (Katinka gehört zu den Kindern, die zu allen erdenklichen Leuten »Tante« sagen), »eigentlich muß diese Friederike den anderen Kindern dankbar sein. Wenn die Kinder nicht so gemein gewesen wären, wäre sie ja nie in dieses herrliche Land gekommen.«

So sagte Katinka und bohrte dabei in ihrer kleinen Nase.
Also – ich war einfach platt.
Falls nun irgendeiner meiner Leser auf ähnlich hübsche Gedanken kommen sollte, möchte ich ihm zweierlei zu bedenken geben:

1. Unter einer Million Menschen gibt es höchstens einen, der rote Zauberhaare hat, aber Tausende, denen es so ergeht wie Friederike.
2. Selbst wenn die Gemeinheit der Kinder Friederike in das herrliche Land verholfen hat: ich jedenfalls würde mich zu einer solchen Hilfe nicht hergeben.

Das wär's.

dtv junior Bücher für Leser ab 8 Jahren

dtv junior 7231

dtv junior 7305

dtv junior 7434

dtv junior 70027

dtv junior 7145

dtv junior 7005

Bücher von Janosch bei dtv junior

Onkel Poppoff kann auf Bäume fliegen
7050 Ab 8

Leo Zauberfloh
7025 Ab 8

Der Mäuse-Sheriff
7145 Ab 8

Lukas Kümmel Zauberkünstler
7238 Ab 7

Hannes Strohkopp
7309 Ab 8

Lari Fari Mogelzahn
7357 Ab 8